Les enfants et la science

Les cycles de vie

Les papillons

Aaron Carr

Weigl

Publié par Weigl Educational Publishers Limited
6325 10th Street SE
Calgary, Alberta T2H 2Z9
Site web : www.weigl.ca

ISBN 978-1-77071-952-1 (relié)
ISBN 978-1-77071-953-8 (livre numérique multiutilisateur)

Imprimé à North Mankato, Minnesota, aux États-Unis d'Amérique
1 2 3 4 5 6 7 8 9 0 17 16 15 14 13

072013
WEP120613

Rédacteur principal : Aaron Carr
Directeur artistique : Terry Paulhus
Traduction : Tanjah Karvonen

Weigl reconnaît que les images Getty sont le principal fournisseur d'images pour ce titre.

Dans notre travail d'édition nous recevons le soutien financier du gouvernement du Canada par l'entremise du Fonds du livre du Canada.

LES ENFANTS
ET LA SCIENCE
Les cycles de vie

Les papillons

Table des matières

Tous les animaux commencent leur vie, grandissent et se reproduisent pour créer d'autres animaux. Ceci est un cycle de vie.

Les papillons sont des insectes.
Les insectes sont de petits animaux
avec des corps en trois sections.
Un insecte a son squelette à
l'extérieur de son corps.

8

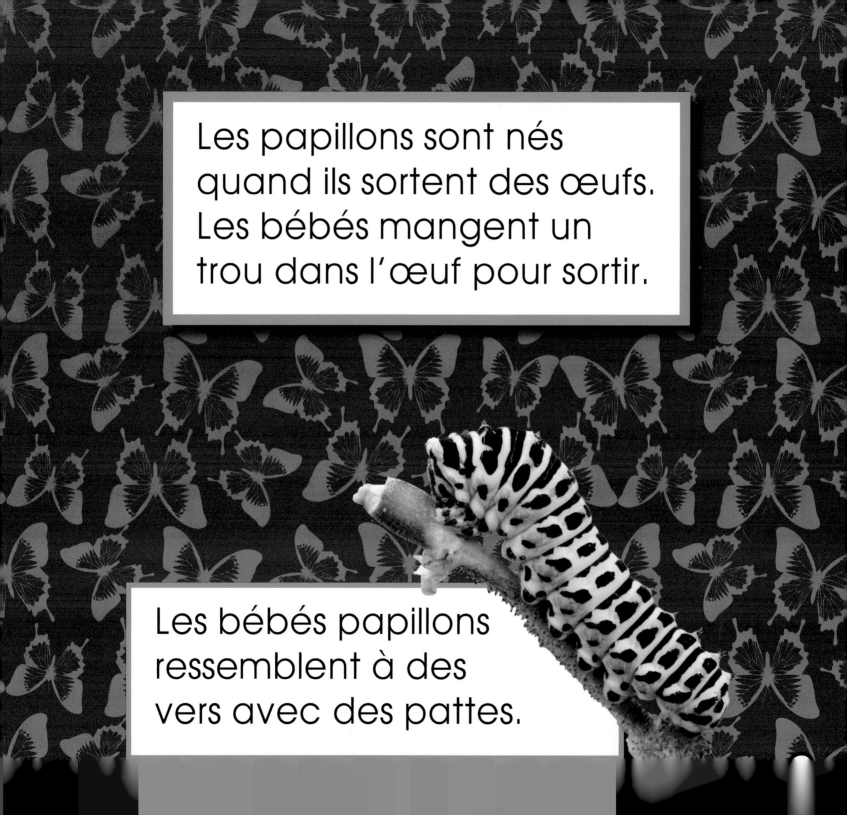

Les papillons sont nés quand ils sortent des œufs. Les bébés mangent un trou dans l'œuf pour sortir.

Les bébés papillons ressemblent à des vers avec des pattes.

Des bébés papillons sont appelés des chenilles. Ils mangent beaucoup et grandissent très vite. Les chenilles perdent leur peau quand elles deviennent trop grandes pour la peau. Ceci est le stage larval du cycle de vie.

11

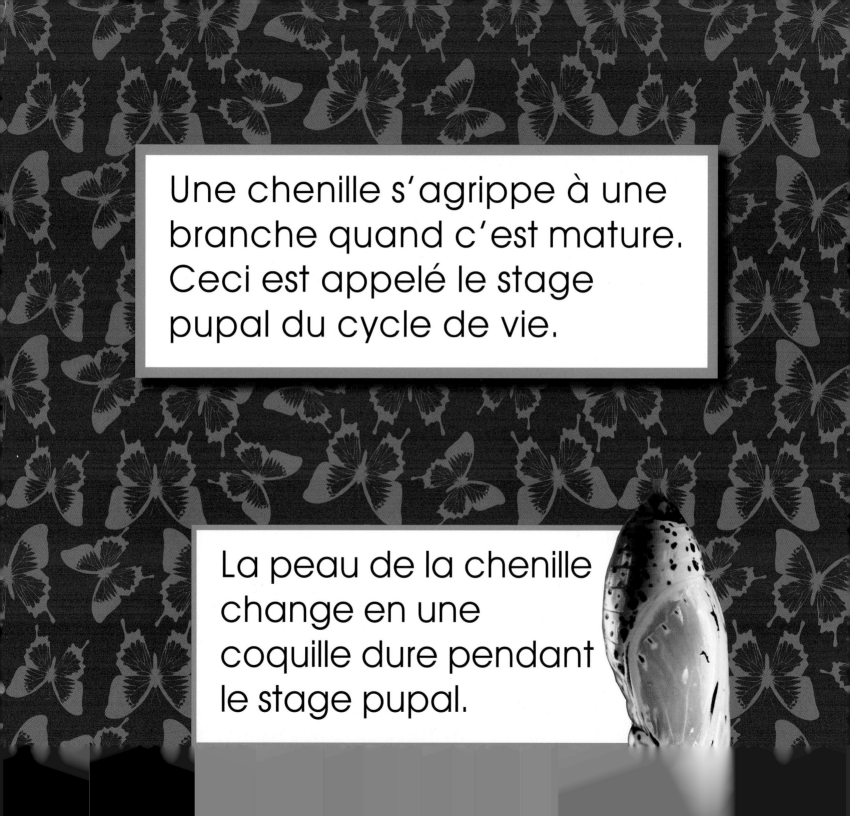

Une chenille s'agrippe à une branche quand c'est mature. Ceci est appelé le stage pupal du cycle de vie.

La peau de la chenille change en une coquille dure pendant le stage pupal.

14

Une chenille peut rester dans sa coquille pendant tout l'hiver. Elle se métamorphose en papillon dans sa coquille.

Le papillon est mature quand il sort de sa coquille. Ses quatre ailes sont douces mais durcissent très vite. Ceci est le stage imago du cycle de vie.

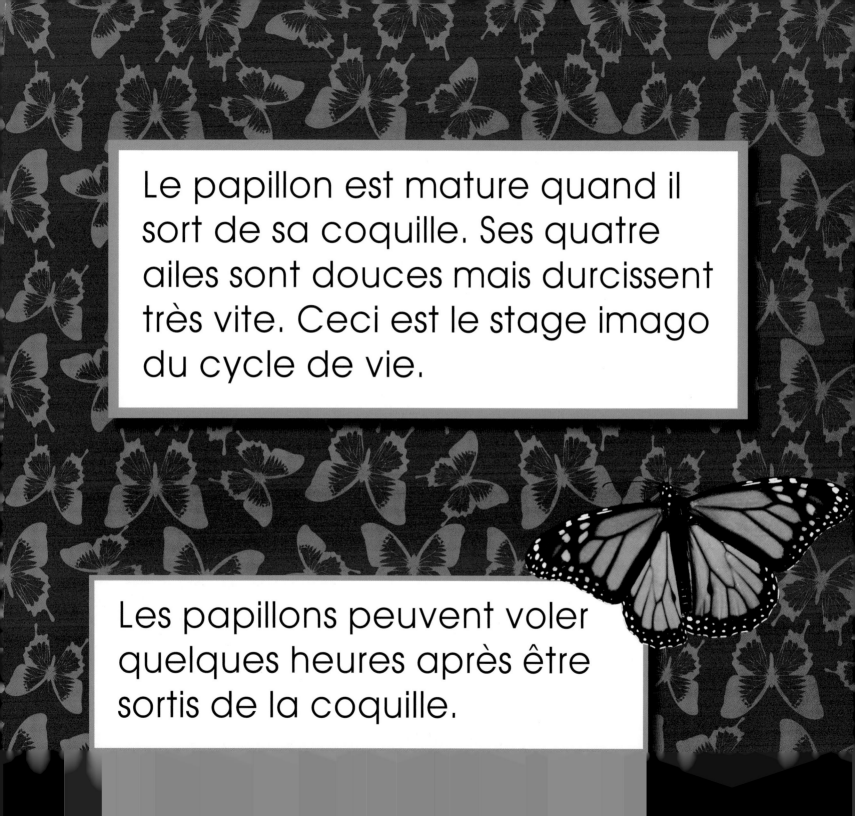

Les papillons peuvent voler quelques heures après être sortis de la coquille.

Les papillons pondent leurs œufs peu après qu'ils commencent à voler. Ils attachent leurs œufs aux branches avec une colle spéciale.

Les œufs de papillons peuvent être ronds, ovales ou en forme de tube.

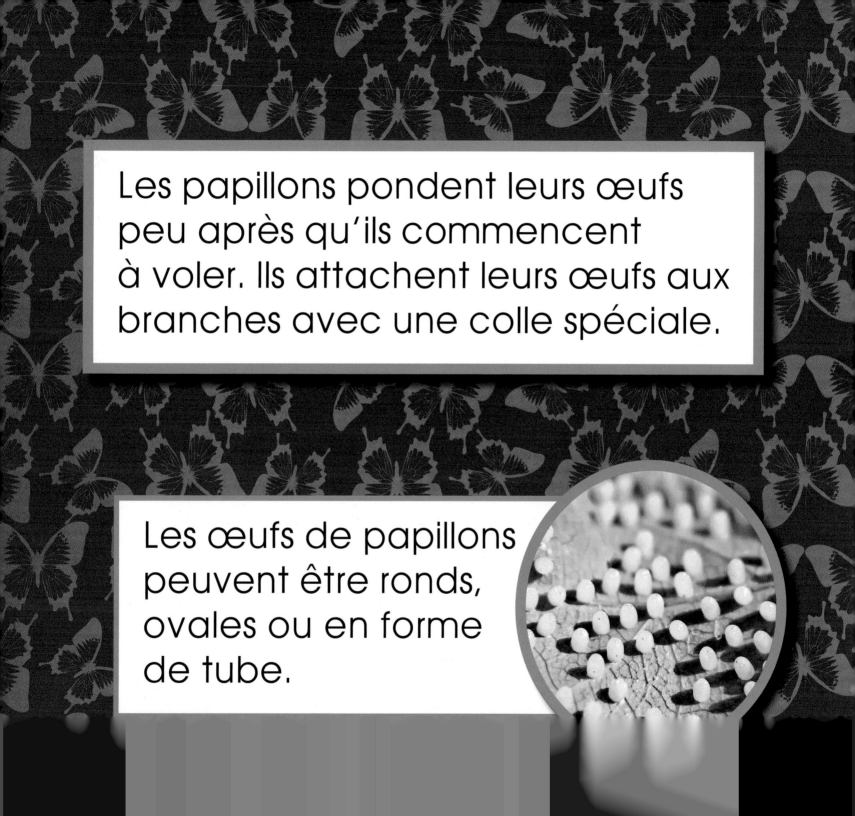

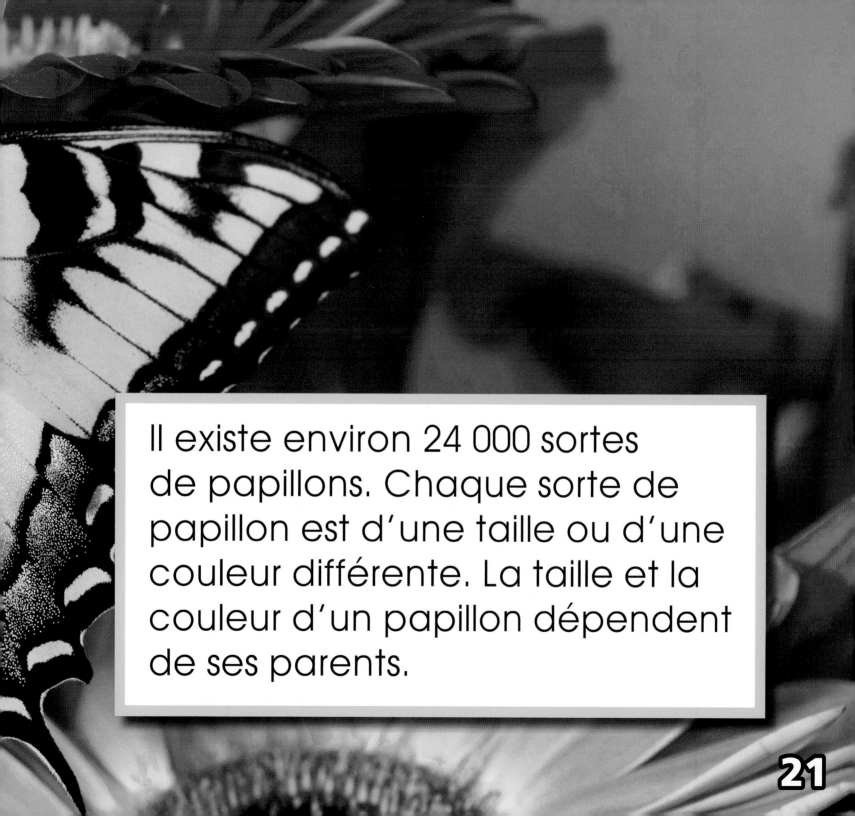

Il existe environ 24 000 sortes de papillons. Chaque sorte de papillon est d'une taille ou d'une couleur différente. La taille et la couleur d'un papillon dépendent de ses parents.

Quiz : Les cycles de vie

Testez vos connaissances des cycles de vie des papillons en faisant ce quiz. Regardez ces images. Quel stage du cycle de vie voyez-vous dans chaque image ?